# Champion !

**Didier Sénécal** est né à Caen en 1954. Ce passionné de mots croisés est un ancien professeur d'histoire devenu journaliste et écrivain. Quand il abandonne ses livres, ses articles de journaux et ses mots croisés, c'est pour voyager et aller observer aux quatre coins du monde ses animaux préférés, les oiseaux sauvages. Il a écrit de nombreux romans pour les enfants et quelques ouvrages pour les adultes qu'il a publiés aux éditions Belfond et Jean-Claude Lattès.

Du même auteur dans Bayard Poche :
*Le mystère des mots croisés* (Je bouquine)

**Arthur Robins** est né en 1944 en Angleterre. Après des études à l'école d'Art de Twickenham, il devient illustrateur. Aujourd'hui il dessine beaucoup pour la presse française et étrangère et adapte aussi en livres des émissions de télévision pour enfants.

Du même illustrateur dans Bayard Poche :
*Opération Diam's* (Je bouquine)

© Bayard Éditions, 1997
Bayard Éditions est une marque
du département Livre de Bayard Presse
Tous les droits réservés. Reproduction, même partielle, interdite.
ISBN 2.227.72353.X

# Champion !

**Un roman de Didier Sénécal
illustré par Arthur Robins**

BAYARD ÉDITIONS

# 1

# Le crack

Hélène avait toujours eu la passion des chevaux.

Au berceau, déjà, son jouet préféré était un mustang en peluche. À trois ans, elle obligeait ses parents à l'inscrire dans un poney-club. À neuf ans, elle caracolait sur une grande jument d'une demi-tonne. Pour elle, l'odeur des écuries valait tous les parfums, et aucune musique n'était plus douce à ses oreilles qu'un hennissement joyeux. Pas un seul chanteur ni un seul acteur de cinéma sur les murs de sa chambre : ils étaient tapissés de posters de pur-sang. La télévision l'ennuyait, les sorties en ville lui paraissaient une corvée. Quant à la coquetterie, elle l'ignorait carrément : une paire de bottes, une vieille culotte aux renforts de cuir, et en selle !

Bref, les chevaux étaient son destin.

— Plus tard, ne cessait-elle de répéter, je deviendrai professionnelle. Je serai lad[1] dans une écurie de courses.

Au début, ses parents s'étaient montrés réticents. Son père lui expliquait que c'était un métier dangereux, pénible, ingrat, et qu'il fallait se lever tous les matins avant l'aube. Sa mère se désolait de voir une gamine aussi jolie se comporter en garçon manqué. Pourquoi cacher ses longs cheveux blonds sous une affreuse casquette à carreaux ? Pourquoi perdre son temps avec des animaux ? Elle aurait pu être professeur, puéricultrice, médecin, hôtesse de l'air... Eh bien non ! Elle rêvait de changer des litières, une fourche à la main !

Ses parents avaient longtemps espéré qu'elle changerait d'idée en vieillissant. Mais à leur grand regret, il ne s'agissait pas d'un caprice de jeunesse : plus les années passaient, plus sa passion croissait, et plus elle s'obstinait. Alors, ils avaient fini par céder.

Hélène était devenue lad dans une écurie de course. On lui avait d'abord confié des chevaux de seconde catégorie ou des poulains débutants. Et puis, petit à petit, elle avait gagné ses galons. Louis

---

1. Nom anglais désignant le jeune garçon ou la jeune fille d'écurie chargé(e) de soigner les chevaux de course.

Levavasseur, l'un des meilleurs entraîneurs français, avait remarqué les dons de cette jeune fille de vingt ans à la silhouette longiligne : elle savait calmer les animaux nerveux, soigner les blessés, encourager les timides. Aussi l'avait-il chargée de s'occuper de son crack. Elle était désormais responsable, vingt-quatre heures sur vingt-quatre, du célébrissime Globule Blanc.

*E*n ce dimanche de juin, un soleil magnifique régnait sur l'hippodrome d'Auteuil[1], et Hélène avait le trac de sa vie. Dans moins d'une heure, Globule Blanc allait disputer le Grand steeple-chase[2] de Paris. Il l'avait déjà gagné les deux années précédentes. S'il triomphait une troisième fois, il ne serait plus simplement un champion parmi tant d'autres : il entrerait dans la légende des pur-sang, dans le panthéon des demi-dieux à quatre pattes !

Hélène sentit des milliers de regards se tourner vers elle lorsqu'elle entra sur le rond de présentation en tenant le crack par la bride. Un murmure parcourut la foule des turfistes[3] qui s'agglutinaient

---

1. Grand champ de courses dans la banlieue parisienne.
2. Steeple-chase : course d'obstacles pour les chevaux comportant haies, murs et fossés.
3. Personnes qui parient lors des courses de chevaux.

contre les barrières de l'enceinte réservée aux entraîneurs et aux propriétaires :

– C'est lui ! Le voici ! Là-bas, c'est Globule Blanc... !

Hélène se joignit aux lads qui promenaient leurs chevaux en main. Malade de timidité, elle essayait de se comporter comme si Globule Blanc avait été un concurrent comme les autres. Mais elle était bien obligée de s'apercevoir que le public ne s'intéressait qu'à Globule Blanc.

Il fallait avouer que son allure était pour le moins étrange... La première chose qui frappait chez lui, c'était sa robe. Les dix autres chevaux étaient soit alezans – poils et crins fauves – soit bais – poils rouges, marron clair ou brun foncé, crinière et queue noires. Globule Blanc, comme son nom l'indiquait, était gris. Un fou furieux suffisamment patient pour compter ses poils en aurait trouvé environ 90 % de blancs et 10 % de noirs. Le mélange subtil des deux teintes lui donnait une encolure tachetée, des flancs marbrés et des fesses pommelées : un poète aurait dit que sa croupe ressemblait à un ciel nuageux.

Pourtant, en toute franchise, Globule Blanc n'avait pas un physique très poétique. Il était même vilain à faire peur. Les méchantes langues le sur-

nommaient « le Mulet » à cause de ses oreilles dis-
proportionnées, ou bien « le Chameau » du fait de
son garrot qui saillait comme une bosse. Il était
maigre comme un coucou, aussi efflanqué qu'une
levrette, monté sur des pattes de girafe et affublé
d'une tête de rhinocéros. Une horreur ! Comment
croire que, d'ici quelques minutes, il allait disputer
l'épreuve reine de la saison ? Les yeux à moitié clos,

il suivait la grande jeune fille en somnolant. En un mot comme en cent, il avait l'air de s'ennuyer comme un rat mort.

Autour du rond de présentation, les ignorants devaient se demander quelle était cette haridelle[1] égarée au milieu des Pégase fougueux. Et puis, a-t-on idée de baptiser «Globule Blanc» un cheval de courses ? C'est tout de même plus chic de s'appeler Diamant de la Pampa ou Prodigious Boy.

Mais les habitués d'Auteuil ne se fiaient pas aux apparences. Ils savaient de quoi «le Mulet» était capable. Malgré sa laideur et son nom ridicule, il était équipé d'une turbine. Le plus souvent, à l'arrivée, ses nobles adversaires parvenaient tout juste à apercevoir sa queue...

Un vieux monsieur de petite taille vint donner ses instructions à Hélène. Tous les turfistes reconnurent Louis Levavasseur, le «Sorcier», l'entraîneur qui avait flairé avant tout le monde le talent hors pair de Globule Blanc.

– Parle-lui pour le rassurer, dit-il à la jeune fille.

– Bien, Monsieur Louis.

Et elle se mit à lui murmurer des paroles amicales dans le creux de l'oreille.

---

1. Cheval maigre et efflanqué.

Quelques instants plus tard, un couple bien mal assorti s'approcha du crack : M. et Mme Chekri. Comme tous les autres propriétaires, M. Chekri portait l'habit et le haut-de-forme. Financier originaire du Proche-Orient, il avouait une double passion : pour les chevaux rapides et pour les jolies femmes. De fait, Globule Blanc était aussi rapide que Mme Chekri était jolie. Sa robe et son chapeau pistache mettaient en valeur son visage de princesse phénicienne. Elle avait vingt ans de moins que son mari et mesurait vingt centimètres de plus.

– Alors ? demanda M. Chekri. Comment est notre crack ?

– Parfait, répondit Louis Levavasseur. Il a bien dormi et mangé de bon appétit ce matin. N'est-ce pas, Hélène ?

Celle-ci hocha la tête :

– Oui, Monsieur. J'ai passé la nuit dans son box, et il a ronflé tranquillement jusqu'à cinq heures et demie du matin. Il sait que c'est un grand jour, mais il est sûr de lui.

Elle désigna les chevaux qui continuaient à défiler :

– Ils pourront toujours courir, il va les battre à plate couture.

Monsieur Chekri sourit :

– Dieu vous entende, Hélène !

Une fois passés sur la balance, les jockeys sortaient du pesage et rejoignaient leurs montures. Chacun d'entre eux portait les couleurs de son propriétaire.

Vêtu d'une toque jaune bouton-d'or et d'une casaque verte à pois jaunes, Robert Rians s'approcha. Louis Levavasseur lui prit la selle des mains ; il ne laissait jamais personne sangler Globule Blanc à sa place. Après avoir étalé le tapis chargé de plaques de plomb, il disposa la selle ultralégère.

Pendant quelques secondes, les spectateurs purent contempler une scène étrange autour du pur-sang : celui-ci était entouré de trois hommes tout petits et de deux jeunes femmes très élancées, la brune Mme Chekri et la blonde Hélène.

Soudain, les choses s'accélérèrent. Les haut-parleurs appelèrent les concurrents sur la piste. L'entraîneur attrapa le genou de Robert Rians et hissa celui-ci sur le dos du cheval. Hélène lâcha la bride, et le jockey tendit les rênes. Pendant que M. et Mme Chekri s'éloignaient vers la tribune officielle, Levavasseur lui donnait ses dernières consignes.

– Robert, méfie-toi de Night Torpedo. Lui seul pourrait te battre.

– Bien, Monsieur Louis.

Les onze chevaux quittèrent le rond de présentation en file indienne. Une fois arrivés sur la piste, ils s'échauffèrent au petit galop. Puis ils se dirigèrent vers la ligne de départ.

Les spectateurs couraient vers les gradins afin de ne pas rater le début de la course. Dans la tribune officielle, les messieurs en haut-de-forme ou chapeau melon conversaient avec les dames, dont les toilettes étaient signées des plus célèbres couturiers parisiens. Mme Chekri attirait tous les regards ; elle jouait d'un air désinvolte avec une ravissante paire de jumelles en or. Son mari, au contraire, ne cherchait pas à dissimuler sa nervosité. Les mains tremblantes, il braquait ses puissantes jumelles allemandes sur le grand échalas gris clair qui se dégourdissait les jambes de l'autre côté des barrières blanches. La victoire représentait une véritable fortune, mais elle n'avait pour lui qu'une importance secondaire. Il possédait déjà tant d'argent... Tandis que la gloire n'a pas de prix.

« Dans un quart d'heure, se dit-il en frissonnant, je serai peut-être le propriétaire d'un des plus grands pur-sang du siècle, d'une légende vivante. »

Louis Levavasseur était beaucoup plus calme. Debout au bord de la piste en compagnie d'Hélène, il observait les concurrents sans remuer un cil. Mais son sang-froid ne l'empêchait pas de réfléchir. En son for intérieur, il était conscient de vivre le couronnement de sa carrière. À soixante-sept ans, jamais il ne retrouverait un cheval de cette pointure.

Pourtant, Globule Blanc avait eu des débuts sacrément difficiles. Le vétérinaire qui avait assisté à sa naissance, avait failli s'évanouir en voyant apparaître cet extraterrestre. Au cours des dix-huit mois suivants, les employés du haras l'avaient regardé grandir avec un mélange d'inquiétude et de consternation.

Ses premiers galops d'essai s'étaient soldés par des échecs : le poulain était si dégingandé qu'il faisait davantage penser à une sauterelle qu'à un cheval de course. À trois ans, il désespérait son entourage. À quatre ans, il semblait destiné à tourner dans un manège de club hippique monté par des cavaliers débutants. C'est alors que « le Sorcier » était arrivé.

– Pourquoi ne pas le tester sur les obstacles ? avait suggéré Levavasseur.

Une idée de génie : Globule Blanc était né pour sauter des montagnes. La suite de l'histoire appartenait à la mythologie d'Auteuil. Après une excellente saison de courses de haies, il s'était imposé sur les obstacles beaucoup plus impressionnants des steeple-chases. Plus ils étaient gros, plus il s'amusait. Aucune épreuve classique ne manquait à son palmarès. Il s'était même offert le luxe d'aller battre les Anglais chez eux. Et de là une poignée de secondes, il allait disputer pour la troisième fois la course la plus prestigieuse de France : le Grand steeple-chase de Paris.

Tout là-bas, à l'autre bout de l'hippodrome, les chevaux se rangeaient derrière les élastiques de départ. C'était un charmant tableau printanier : sur l'herbe vert tendre de la pelouse se détachaient les

couleurs vives des toques et des casaques. Parmi les robes alezanes et baies déjà luisantes de transpiration, on distinguait une espèce de zèbre gris clair.

Globule Blanc allait-il gagner ? Hélène avait l'estomac noué par l'angoisse. Des mois d'efforts quotidiens, de sacrifices, d'espérances allaient se jouer en quelques minutes.

D'un instant à l'autre, le signal du départ allait être donné. Cinq mille huit cents mètres à parcourir à un train d'enfer. Une vingtaine d'obstacles redoutables à franchir.

Auteuil retenait son souffle.

# 2

# La chute

C'est parti !

Les onze pur-sang s'élancent. Leurs jarrets se tendent. Leurs reins se cambrent. Les muscles saillants de leurs membres postérieurs les propulsent sur la piste gazonnée. En quelques foulées, ils passent de l'immobilité à un train soutenu. Tout au long de près de six kilomètres, ils vont garder ce rythme à trois temps qui ressemble à une valse endiablée : «tagada, tagada» ou, si l'on préfère, «cataclop, cataclop».

Ils ont démarré sur la même ligne, mais très vite ils se regroupent à la corde. Prodigious Boy prend la tête. Globule Blanc et Night Torpedo, un cheval bai brun qui paraît presque noir, s'installent sagement au milieu du peloton. Les jockeys s'observent du coin de l'œil. La plupart surveillent Robert Rians, le vétéran.

À trente-sept ans, il pourrait presque être le père de ses plus jeunes rivaux. C'est lui qui a gagné le plus d'épreuves et récolté le plus de blessures. Difficile de nommer un os qu'il ne se soit jamais fracturé ! Vingt fois cassé, vingt fois réparé, c'est un homme en pièces détachées ! Si vous cherchez Robert, a-t-on coutume de dire dans le milieu des courses, vous le trouverez soit sur le dos d'un cheval, soit sur un lit d'hôpital. Mais le vieux a encore un sacré tonus.

Les pur-sang aussi s'épient. La compétition les stimule. Et tous comprennent plus ou moins que le

géant gris est l'archi-favori, l'adversaire à battre.
Ceux qui l'ont déjà affronté ont conservé le souvenir
d'une défaite humiliante.

Les premiers obstacles sont avalés dans la foulée. Ce sont de simples haies d'un mètre de haut,
destinées à se mettre en jambe. Il suffit de les « bros-
ser », car elles se replient au contact des sabots.

Les difficultés augmentent rapidement. Après la
grosse barrière, plusieurs chevaux commencent
déjà à décrocher.

Et voici la rivière !

Un obstacle à vous glacer le sang : une haie d'un
mètre cinquante de large sur un mètre de haut, sui-
vie d'une nappe d'eau de quatre mètres cinquante

de large. Il faut donc sauter six mètres, et même sept, compte tenu de la prise d'appel et de la marge de sécurité à la réception.

Une fois de plus, le public a l'occasion d'admirer l'écrasante supériorité de Globule Blanc. La plupart de ses adversaires ralentissent l'allure, effrayés par l'eau qui miroite au soleil. Ils calculent mal leur distance et doivent fournir un effort épuisant pour atterrir en déséquilibre de l'autre côté de la rivière.

«Le Mulet», au contraire, accélère et négocie la haie au millimètre près. Sa trajectoire parfaite lui permet de redémarrer aussitôt et de prendre plusieurs mètres d'avance.

– Bravo, bonhomme, murmure Robert Rians.

Le cheval est en troisième position à présent, juste derrière Prodigious Boy et Night Torpedo. Quant aux autres, ils sont presque tous dans les choux !

La course se poursuit à un train diabolique. Les robes sont baignées de sueur. Les naseaux se dilatent. Les cœurs cognent dans les cages thoraciques. Et les jockeys se crispent, car le *rail ditch and fence* se profile à l'horizon.

Une monstruosité.

Un piège qui peut être mortel, pour les montures comme pour les hommes. Le *rail ditch and fence* est un fossé de deux mètres de large, précédé d'une barre et suivi d'une haie d'un mètre soixante-dix de large sur un mètre soixante-dix de haut. Les turfistes l'appellent avec un certain humour noir le «juge de paix», parce qu'il départage les innocents et les coupables. Pas de pardon : la moindre faute est fatale.

Globule Blanc reconnaît l'obstacle. Ses grandes oreilles se couchent. Robert Rians l'avertit du danger :

– Prépare-toi, bonhomme.

Le crack prend son élan avec une formidable détermination.

Tout seul, il franchirait cette montagne comme à la parade. En course, par malheur, on est rarement seul.

Prodigious Boy décolle quelques mètres devant lui. Mais son saut manque de puissance. Il se prend les genoux dans la haie. Il bascule, croupe par-dessus tête. Et il s'écrase à l'endroit précis où Globule Blanc va se recevoir.

La chute dure à peine une fraction de seconde. Mais ce bref laps de temps suffit à Robert Rians pour remarquer d'innombrables détails.

Il revoit tous ses accidents, et il comprend que celui-ci sera beaucoup plus grave que les précédents.

Il voit les spectateurs se lever avec un cri d'horreur.

Il voit Night Torpedo atterrir sur sa gauche et s'envoler vers une victoire certaine.

Et puis, tout d'un coup, il ne voit plus rien.

— *Il* faut sourire quand tout va mal, et avoir l'air triste quand tout va bien.

Telle était la règle de conduite de Louis Levavasseur. Comme beaucoup d'hommes de cheval, il ne se départissait de son flegme sous aucun prétexte. Personne ne l'avait jamais vu bondir de joie, et dans les pires circonstances, ses yeux demeuraient aussi secs qu'un puits tari du Sahara.

Ce jour-là, cependant, il lui fallut une volonté d'acier pour conserver un visage impassible. Globule Blanc était parti en roulé-boulé pratiquement sous ses yeux, et Robert Rians, son vieil ami, avait été piétiné par le peloton.

Hélène sauta aussitôt par-dessus la barrière blanche et se précipita vers le *rail ditch and fence.* Levavasseur, lui, fit tranquillement le tour et marcha jusqu'à l'obstacle d'un pas de sénateur. Des milliers de jumelles étaient pointées sur lui, car le public se désintéressait désormais du résultat de la course.

Le jockey de Prodigious Boy venait de se relever. Il était encore étourdi, mais semblait indemne. Levavasseur lui donna au passage une tape amicale sur l'épaule. Puis il s'accroupit à côté de Rians. La casaque verte à pois jaunes était maculée de sang.

– Ne bouge pas, Robert. Les secours arrivent.

Le malheureux ouvrit lentement les yeux. Soudain, une lueur d'inquiétude brilla dans son regard vitreux. Sans une plainte, sans se préoccuper un seul instant de la gravité de son état, il demanda d'une voix caverneuse :

– Globule ?

– Tout va bien. Il est sur ses pattes. Hélène vient de le récupérer.

Rians cligna des paupières, et un pâle sourire se dessina sur ses lèvres.

Trente secondes plus tard, un médecin et deux brancardiers arrivèrent en courant. Ils couchèrent le jockey sur la civière avec d'infinies précautions, puis l'emportèrent vers l'ambulance.

Un peu plus loin, Hélène tenait le cheval par la bride. Malgré les grosses larmes qui coulaient sur ses joues, elle essayait de le réconforter par des paroles apaisantes.

– C'est fini, gros père. N'aie pas peur, c'est fini.

Levavasseur se tourna vers elle :

– Allez, fillette, on rentre.

– Bien, Monsieur Louis, répondit-elle en prenant le chemin de la sortie.

Les spectateurs attentifs virent alors l'entraîneur relever le menton, dans une attitude orgueilleuse, comme s'il avait remporté un nouveau triomphe. Tous ceux qui le connaissaient comprirent qu'une nouvelle catastrophe le frappait.

Il venait en effet de s'apercevoir que Globule Blanc boitait bas. Terriblement bas. C'était tout juste s'il osait poser son membre antérieur droit à terre.

*I*l y a des jours glorieux à Auteuil. Des jours comiques également, et même des jours ennuyeux.

Parfois, aussi, des jours tragiques.

En ce dimanche de la mi-juin, sous un soleil éclatant, une atmosphère de drame régnait sur le champ de courses. Bien sûr, tous les jockeys et tous les chevaux qui prennent le départ d'un steeple-chase s'exposent à des risques considérables. Mais Robert Rians n'était pas n'importe quel jockey, ni Globule Blanc n'importe quel cheval. C'était un couple historique qui disparaissait.

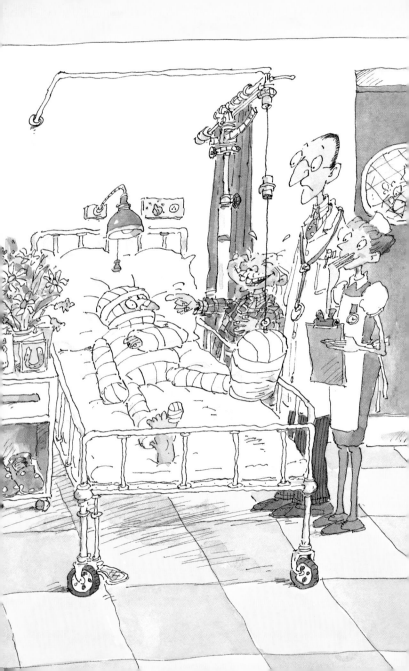

# 3

# Une chance sur dix

Il faut sourire quand tout va mal, et avoir l'air triste quand tout va bien.

M. Louis était toujours fidèle à ses principes : plus la nuit avançait, plus il semblait heureux de vivre. Il était assis sur une chaise en plastique, à l'entrée du service de chirurgie d'un hôpital parisien. À l'autre bout du couloir, derrière une porte close, des médecins et des infirmières s'efforçaient depuis des heures de recoller les morceaux de Robert Rians. Un vrai puzzle à reconstituer ! Mais l'entraîneur était trop fier pour manifester son inquiétude. À voir sa physionomie réjouie, on aurait cru qu'il était ravi de passer une nuit blanche dans une sinistre salle d'attente, sans savoir si son jockey vedette allait survivre à l'accident.

Dans l'après-midi, Hélène avait raccompagné Globule Blanc au centre d'entraînement de Chantilly, au nord de Paris. Louis Levavasseur lui avait déjà téléphoné à plusieurs reprises pour avoir des nouvelles du cheval. Chaque fois, elle lui avait répondu avec des sanglots dans la voix :

– Ça gonfle, Monsieur Louis. Ça n'arrête pas de gonfler.

– Très bien. Pose-t-il le pied par terre ?

– Non, Monsieur Louis. Il est couché dans son box, et il n'a aucune envie de se relever.

– Parfait ! Formidable !

– Et Robert ? Comment va-t-il ?

– Magnifiquement ! Ça baigne dans l'huile !

À quatre heures du matin, un homme en blouse blanche vint enfin chercher Levavasseur.

– Votre jockey est sorti de l'anesthésie, dit-il. Il a un bras cassé, trois côtes enfoncées, deux autres fêlées, des plaies et des contusions. Mais tout cela est relativement bénin. Le plus grave, ce sont les sept fractures du bassin. J'ai rarement vu de pareils dégâts. Autant vous le dire carrément, il ne remontera jamais à cheval.

Levavasseur lui éclata de rire au nez :

– On voit bien que vous ne connaissez pas Rians ! Ce gars-là est indestructible.

Le chirurgien se fâcha :

– Vous n'allez pas m'apprendre mon métier. Il aura même du mal à remarcher normalement.

– Taratata ! Ça fait vingt ans que les médecins me racontent ce genre de salades. Et Rians continue à gambader comme un poulain. Voyez-vous, docteur, les jockeys de steeple-chase sont fabriqués en acier trempé.

– Mais puisque je vous affirme que...

Refusant d'en écouter davantage, l'entraîneur se dirigea tout droit vers le lit roulant.

– Salut, Robert. Avec tous ces plâtres et ces pansements, tu ressembles à un bonhomme de neige. Et ton nez est tellement recouvert de mercurochrome qu'on dirait une carotte !

Rians n'avait pas la force de parler, ni même de bouger les lèvres. Mais il parvint à sourire avec les yeux.

– Bon, poursuivit Levavasseur d'une voix tonitruante, je suis content de voir que tu te portes comme un charme. Dépêche-toi de guérir. J'ai besoin de toi.

Le chirurgien et les infirmières n'en croyaient pas leurs oreilles. N'importe qui aurait fait une tête d'enterrement en découvrant un ami dans un état pareil. Alors que ce vieux monsieur avait l'air de trouver cela désopilant. Décidément, ces hommes de cheval étaient des cinglés...

*L'*aube commençait à poindre lorsque Louis Levavasseur entra dans la cour de son écurie. Il rangea sa voiture devant le bâtiment principal et ouvrit la porte du box de Globule Blanc.

Le grand escogriffe était couché à côté de son mouton. Comme beaucoup de chevaux de courses, en effet, il détestait la solitude. Aussi lui avait-on offert un compagnon. Les hommes ont bien des chiens et des chats pour se distraire. Pourquoi les chevaux ne posséderaient-ils pas eux aussi des animaux domestiques ?

Hélène était à moitié assoupie sur une balle de paille. Elle adressa un regard interrogateur à son patron. Celui-ci lui expliqua en deux mots que Robert Rians était presque mort, mais qu'à part cela il était en pleine forme.

Puis il ordonna au pur-sang :

– Allez, bonhomme, debout. Montre-moi ta blessure.

Globule Blanc se fit longtemps prier avant de se relever à grand-peine. Le mouton l'imita. Croyant qu'il s'agissait d'un jeu, il se mit à trottiner dans le box. Il faut dire que les moutons sont les plus stupides des mammifères, et que cet individu en particulier était le plus stupide des moutons. En dehors de brouter, il n'était bon à rien

– Hélène, sors-moi cet imbécile !

Quand elle eut chassé le perturbateur, la jeune fille observa M. Louis penché sur l'antérieur droit de Globule Blanc. Une bouffée d'espoir l'envahit. Si tout le monde surnommait son patron « le Sorcier », ce n'était pas seulement du fait de ses talents d'entraîneur. C'était aussi parce qu'il n'avait pas son pareil pour soigner les tendons claqués et les pieds douloureux. Pendant plusieurs minutes, il examina le paturon enflé : la partie située entre le sabot et le boulet avait doublé de volume. Il se retourna vers Hélène avec une grimace de dégoût. Elle en déduisit que le cheval avait une chance de s'en tirer.

Levavasseur alla farfouiller dans l'armoire à pharmacie. Après avoir versé une sorte de poudre dans un récipient, il ajouta plusieurs ingrédients mystérieux et délaya le tout avec de l'eau. Ensuite, il vint appliquer l'emplâtre sur le paturon meurtri.

Déjà le soleil se levait sur Chantilly. Tous les

chevaux étaient réveillés. Une fois leur petit déjeuner avalé, ils sortirent la tête de leur box avec curiosité. Qu'est-ce que l'entraîneur bricolait dans le box de Globule Blanc? Pourquoi les lads chuchotaient-ils entre eux avec une mine catastrophée? Le seul qui ne se doutait de rien, c'était le mouton: il bêlait bêtement à la porte pour rentrer.

Malgré sa fatigue, Levavasseur alla diriger l'entraînement sur la piste située derrière les écuries. Quand il revint vers huit heures du matin, la Rolls-Royce des Chekri était garée dans la cour. Il salua les propriétaires et les emmena voir Globule Blanc.

Hélène, assise sur la litière à côté du « Mulet », lui caressait doucement l'encolure.

– Pourra-t-il recourir ? demanda M. Chekri en examinant le blessé.

– Sans doute, répondit Levavasseur.

– Pourra-t-il regagner ?

– Peut-être.

– Il a déjà neuf ans...

– Pour n'importe quel autre cheval, je vous conseillerais d'abandonner. Mais Globule est le crack de votre vie. Et de la mienne. Un sauteur de cette pointure ne peut pas quitter les champs de courses sur une défaite. Il mérite de partir en beauté.

– Combien de chances lui donnez-vous de revenir à son meilleur niveau ? Une sur deux ? Une sur trois ?

– Une chance sur dix. Mais il faut la jouer.

Hélène prit son courage à deux mains :

– Essayez, Monsieur, je vous en prie. Il le mérite. Il est si courageux.

M. Chekri réfléchit un instant, puis chercha une approbation dans le regard de sa femme. Celle-ci se tourna vers Hélène avec un sourire plein de sympathie.

Alors le financier annonça sa décision :

– Je vous fais confiance, dit-il à Levavasseur. Vous avez carte blanche. Ne reculez devant aucune dépense. Je veux qu'il prenne sa revanche l'année prochaine.

*P*endant une semaine, Globule Blanc resta prostré au fond de son box. Il mangeait du bout des lèvres. Il ruminait sa défaite. Et puis, un beau jour, Hélène le trouva en train de jouer avec son mouton. Il avait planté les dents dans la laine de son dos, et il s'amusait à soulever le ridicule animal à plus d'un mètre du sol. Dans l'écurie, c'était un concert de hennissements amusés et de bêlements effrayés.

Dès lors, M. Louis autorisa les deux inséparables à aller passer la journée dans un pré. Du matin au soir, ils broutaient côte à côte, tranquillement, en se racontant des histoires de quadrupèdes.

Hélène les observait pendant des heures, à l'affût du moindre progrès, et ses espoirs étaient toujours déçus. Le blessé ne boitait plus depuis que son paturon avait dégonflé. Mais il se contentait de marcher à tout petits pas, comme un vieillard. Jamais une cabriole, ni une foulée de galop, ni même une battue de trot. C'était bien simple, il n'avait pas plus d'énergie qu'un mouton... Était-il mûr pour la retraite ?

L'été s'écoula tristement. Quelques journalistes sportifs rendirent visite à l'ancien champion afin de donner de ses nouvelles à leurs lecteurs. La plupart des articles s'achevaient par une conclusion pessimiste. Dans le monde des courses, on avait déjà fait une croix sur Globule Blanc.

L'automne débuta heureusement sous de meilleurs auspices. Le 23 septembre devait rester gravé dans la mémoire d'Hélène. À midi, elle pénétra en trombe dans le bureau de l'entraîneur et s'écria :

– Globule a disparu !

Ce matin-là, comme d'habitude, elle l'avait conduit au pré avec son mouton. Elle était certaine d'avoir bien refermé la barrière. Mais à présent, il n'y avait plus que le mouton. Où était passé Globule ? L'avait-on kidnappé ?

Dans les écuries, c'était le branle-bas de combat. Les lads couraient dans tous les sens. Les uns partaient en voiture explorer les environs, les autres parlaient d'avertir la police, les pompiers, la gendarmerie – ou l'armée, pourquoi pas ?

Seul Levavasseur conservait son sang-froid. Il se dirigea vers l'herbage, les mains dans les poches. Une boule blanche se détachait sur l'herbe vert clair : le mouton, qui ne s'était rendu compte de rien, continuait à brouter goulûment.

Soudain, des sabots crépitèrent sur le goudron. Tous les regards se tournèrent vers la route. Un gigantesque cheval gris déboucha dans le tournant au grand galop.

Hélène ouvrit des yeux ronds comme des soucoupes. Le pur-sang arrivait tout droit sur la palissade de bois blanc. Il prit son élan au millimètre près et, avec un bond spectaculaire, rentra dans le pré de la même manière qu'il en était sorti. Il poussa un hennissement joyeux et se remit aussitôt à déguster l'herbe tendre à côté de son mouton.

Hélène, folle de bonheur, s'apprêtait à applaudir à tout rompre, lorsque M. Louis se tourna vers elle et lui dit d'un ton lugubre :

– Demain matin, tu pars en vacances au bord de la mer.

**V**ingt-quatre heures plus tard, Hélène, Globule Blanc et le mouton s'installèrent dans un club hippique de la côte normande. Comme la saison touristique était terminée, il ne restait plus sur place que quelques poneys : des nains poilus qui regardaient le géant gris avec un respect craintif.

L'objectif de Levavasseur était simple. Maintenant que le pur-sang ne souffrait plus et que son paturon était consolidé, il fallait entreprendre un traitement en profondeur. Or, la thalassothérapie est aussi efficace pour les animaux que pour les êtres humains. Hélène avait donc mission de faire profiter Globule Blanc des bienfaits des algues et de l'eau salée.

Tous les jours, durant des heures entières, elle montait le convalescent sur la plage. Celui-ci adorait patauger dans les bancs de varech et marcher avec de l'eau jusqu'au genou. Qu'il pleuve ou qu'il vente, ils parcouraient les immenses étendues de sable mouillé. Ils respiraient l'air iodé en écoutant les cris rauques des goélands et des mouettes rieuses. De temps en temps, ils piquaient un petit galop en soulevant des gerbes d'écume.

Le mouton, quant à lui, attendait prudemment leur retour au club. Il avait une sainte horreur de l'eau, du sable, des algues et des oiseaux de mer.

Tous les quinze jours environ, Louis Levavasseur venait leur rendre visite. Hélène lui faisait le récit des progrès du cheval dans les moindres détails. Puis l'entraîneur repartait avec un air de plus en plus préoccupé...

Au mois de janvier, Hélène aperçut sa voiture sur la digue alors qu'elle se promenait à marée basse. Elle se dirigea au trot vers son patron. En s'approchant, elle distingua une seconde silhouette.

Robert Rians! Mais sa joie fut de courte durée. Le jockey, en effet, eut du mal à s'extraire de la voiture et dut aussitôt saisir ses béquilles. Il lut de la déception dans les yeux de la jeune fille.

– Bonjour, petite, dit-il avec un enthousiasme forcé. Ce n'est pas encore parfait, mais je vais beaucoup mieux. Et ça me fait drôlement plaisir de revoir ce vieux Globule.

Pendant qu'il lui caressait les naseaux, M. Louis ajouta :

– Robert va suivre mon exemple. Moi aussi, il y a une trentaine d'années, j'ai arrêté ma carrière de jockey pour devenir entraîneur. Je vais le prendre comme adjoint.

– Mais alors, qui va monter Globule? demanda Hélène.

– Nous verrons, nous verrons. Pour l'instant,

écoute-moi bien. Regarde cette étendue de sable mouillé, juste en face. Le sol a l'air bien ferme. Tu vas le pousser à fond. Compris? À fond la caisse! Comme si tu disputais une arrivée.

La jeune fille hocha la tête. Elle enfonça sa casquette à carreaux jusqu'aux sourcils et raccourcit ses étriers afin d'adopter une position de course. Puis elle démarra doucement. Petit à petit, le cheval passa d'une allure de canter[1] à un galop sérieux, puis à un galop vite. En arrivant sur le sable bien dur, elle l'encouragea:

– Allez, gros père, montre-leur ce que tu as dans le ventre!

Debout sur la digue, Levavasseur et Rians les suivaient avec leurs jumelles. Et leurs mains tremblaient. Car là-bas, quelques centaines de mètres plus loin, une fusée gris clair filait sur le sable gris foncé. On aurait cru qu'une mouette titanesque survolait la plage en rase-mottes.

– Qu'en penses-tu, Robert?

– Vous voulez que je vous dise, Monsieur Louis? Eh bien, il n'a jamais été aussi rapide. Jamais.

---

1. Galop modéré.

# 4

## Une rentrée attendue

Globule Blanc rentra donc à Chantilly et reprit l'entraînement. À l'aube, Hélène venait le panser, le brider et le seller. Puis elle le conduisait sur la piste en compagnie des autres pensionnaires de l'écurie. Dans le froid vif du petit matin, les chevaux montés par les lads marchaient en file indienne. Des nuages de buée sortaient de leurs naseaux. Hélène, encore mal réveillée, grelottait. Malgré les gants, ses mains gelés avaient du mal à tenir les rênes. Mais déjà, M. Louis donnait ses ordres.

Par groupes de deux ou trois, les pur-sang s'élançaient dans de petits canters d'échauffement. Ensuite, on passait aux choses sérieuses : les uns travaillaient leur endurance en conservant un train soutenu pendant plusieurs kilomètres ; les autres affinaient leur pointe de vitesse sur une distance plus courte. Dans un cas comme dans l'autre, Globule Blanc était pour tous les jeunes chevaux l'exemple à suivre, le modèle absolu.

Hélène adorait les jours où le peloton s'exerçait sur les haies. C'était une expérience grisante que d'attaquer ces modestes obstacles sur le dos du «Mulet». Sa puissance était phénoménale, et la jeune femme avait l'impression de s'envoler. Le cheval réglait lui-même sa foulée, il sautait sans effort, et sur chaque haie il prenait deux ou trois longueurs par rapport à ses compagnons. Pour un vieux briscard comme lui, c'était un jeu d'enfant.

Tous les matins, Robert Rians assistait à l'entraînement à côté de Levavasseur. Il abandonna sa première béquille en mars, la seconde en avril. Mais sa carrière de jockey était bel et bien terminée. Il fallait donc lui trouver un remplaçant.

M. Louis prit contact avec Stéphane Morillon, un jeune dont l'étoile montait sur les hippodromes français. Il vint à Chantilly essayer Globule Blanc, et parut s'entendre avec lui.

Lorsque M. Louis lui demanda son avis à Robert Rians, celui-ci répondit :

– Ce petit gars-là a du talent. De toute façon, Globule gagnerait avec un sac de ciment sur le dos !

***D***ébut mai, la nouvelle fit la une des journaux spécialisés : « LE MULET EST DE RETOUR », « RENTRÉE TRÈS ATTENDUE DE GLOBULE BLANC DANS LE PRIX DE L'ARCHIDUCHESSE ».

Pour le préparer au Grand steeple-chase de Paris, Louis Levavasseur avait choisi une épreuve beaucoup moins difficile : le prix de l'Archiduchesse se courait sur quatre mille deux cents mètres au lieu de cinq mille huit cents, et il ne comportait pas le *rail ditch and fence,* le « juge de paix » de sinistre mémoire.

Le jour venu, pas un turfiste ne manquait à l'appel. À la curiosité se mêlait la joie sincère de retrouver le cheval qui avait si souvent fait vibrer Auteuil. La pluie n'empêcha donc pas une foule immense de se presser autour du rond de présentation. Les spectateurs admiraient l'élégance de Mme Chekri abritée sous un parapluie et scrutaient le visage impassible de M. Louis. « Le Sorcier » allait-il accomplir un nouveau miracle ?

Tenu en main par Hélène, le géant gris avait l'air en pleine forme. Selon son habitude, Louis Levavasseur sangla lui-même le cheval et mit Stéphane Morillon en selle.

– C'est lui qui commande, et toi, tu obéis. Compris ? N'oublie pas que lorsqu'on monte Globule Blanc, la cravache est un objet décoratif. Quoi qu'il arrive, je t'interdis de t'en servir.

– Bien, Monsieur Louis.

Les concurrents se dirigèrent vers la ligne de départ. M. et Mme Chekri gagnèrent la tribune officielle. Robert Rians et Hélène suivirent l'entraîneur au bord de la piste. La jeune fille était malade d'angoisse, et l'ancien jockey ne valait guère mieux.

– Ça me fait une drôle d'impression, dit-il, de voir quelqu'un d'autre monter Globule. J'ai dix fois plus le trac que si j'étais sur son dos.

– Pourvu que son tendon tienne le coup..., renchérit Hélène.

– Un peu de cran, tous les deux! s'écria Levavasseur.

Et il pointa ses jumelles sur la toque jaune et sur la casaque verte à pois jaunes qui brillaient au loin.

Les chevaux démarrèrent sous une pluie battante. Dès la première haie, le sourire radieux de M. Louis laissa présager le pire: Globule Blanc avait forcé la main de son jockey et s'était porté en tête.

– Qu'est-ce qu'il fabrique? demanda Robert Rians.

– Globule a peur, dit Hélène. Il a pris la direction du peloton parce qu'il a peur de tomber.

M. Louis acquiesça:

– Hélène a raison. Il se souvient de sa chute sur le «juge de paix». Pour ne pas risquer d'être victime d'un autre cheval maladroit, il galope tout seul devant. Malheureusement, Morillon essaie de le retenir alors que je lui ai ordonné de laisser à Globule une entière liberté de manœuvre.

Les concurrents franchirent les obstacles sans incident et débouchèrent dans la dernière ligne droite. À cent mètres de l'arrivée, Globule Blanc était toujours en tête. Mais il commençait à faiblir. Stéphane Morillon vit que Scout II, un alezan de six

ans, le remontait à toute allure. Alors il sortit la cravache.

– Non, dit Hélène en fermant les yeux. Tout mais pas ça.

Les gens hurlaient dans les tribunes :

– Vas-y, Globule !

– Allez, Scout II ! Double-le !

Les deux jockeys encourageaient leur monture et cravachaient à tour de bras. Dans un ultime effort, l'alezan dépassa le gris et franchit la ligne avec une encolure d'avance.

Louis Levavasseur demeura imperturbable devant les journalistes :

– Je suis ravi. Cette défaite vaut une victoire. Je suis très confiant pour le mois prochain.

– Vous croyez vraiment qu'il peut gagner le Grand steeple-chase de Paris après avoir perdu une course aussi facile ?

– Je ne crois pas, Messieurs. J'en suis sûr.

Puis il rejoignit Globule Blanc avec une allure de triomphateur. Hélène avait attrapé la bribe, et Stéphane Morillon venait de mettre pied à terre.

– Ce cheval est cinglé, Monsieur Louis. Il m'a arraché les rênes des mains. Impossible de le retenir !

– Oui, oui, ce n'est pas de votre faute.

Malgré le ton indulgent de l'entraîneur, chacun comprit qu'il était dans une colère noire. Lorsque « le Sorcier » vouvoyait un jockey ou un lad, c'était très mauvais signe...

– Je ne vous reproche pas cette défaite. En revanche, je ne vous pardonnerai jamais d'avoir désobéi à mes consignes. Monter Globule Blanc est un honneur. Un petit débutant n'a pas le droit de cravacher un crack. Au revoir, jeune homme.

Et il lui tourna le dos.

Tandis qu'Hélène bouchonnait[1] le pur-sang avec

---

1. Bouchonner : frotter un cheval avec de la paille.

une grosse poignée de paille, M. Louis regarda Robert Rians droit dans les yeux. Dans son regard, l'ancien jockey lut une question muette.

– Vous... vous ne voulez pas que..., balbutia-t-il.

M. Louis ne répondit pas.

– Voyons ! Vous ne...

M. Louis gardait toujours le silence.

Robert Rians ouvrit la bouche, la referma, hésita encore un instant, puis hocha lentement la tête.

– Oui, dit-il dans un murmure presque inaudible.

Les haut-parleurs annonçaient déjà la course suivante. Mais les habitués d'Auteuil étaient beaucoup plus intéressés par les allées et venues de Louis Levavasseur. Celui-ci alla d'abord échanger quelques mots avec M. Chekri. Puis on l'aperçut en grande conversation avec le président de la Société des steeple-chases de France. Les deux hommes ne paraissaient pas du tout d'accord. Certains témoins prétendent qu'ils surprirent des échos de leur dispute :

– Mais il peut à peine marcher ! s'exclama le président.

– Ce n'est pas gênant pour monter à cheval, répondit l'entraîneur.

– Vous voulez l'envoyer à la mort !

– Non, je veux lui offrir une dernière victoire.

Une chose est sûre, en tout cas : à la fin de l'entrevue, ils se serrèrent la main, comme s'ils venaient de conclure un marché. Une demi-heure plus tard, la nouvelle faisait le tour de l'hippodrome. Le président avait accepté de renouveler la licence de Robert Rians pour une seule journée : le dimanche du Grand steeple-chase de Paris.

# 5

# La légende d'Auteuil

Comme l'année précédente, le jour du Grand steeple-chase de Paris s'annonçait magnifique. Hélène avait passé la nuit dans le box de Globule Blanc. Après avoir dormi sur ses deux oreilles, celui-ci salua le soleil levant d'un long hennissement. Le mouton se réveilla en sursaut lorsque son gigantesque compagnon le souleva par la laine du dos et le laissa retomber sur la paille. « Le Mulet » avait beau savoir qu'une épreuve décisive l'attendait, il ne manifestait aucune inquiétude.

Ce n'était pas le cas de ses amis à deux pattes. Hélène était si anxieuse qu'elle avait dû mettre des gants pour cesser de se ronger les ongles. Robert Rians ne parlait plus à personne depuis quarante-huit heures. Et quand Louis Levavasseur arriva sur l'hippodrome d'Auteuil, il fit semblant de contempler les petits nuages qui pommelaient le ciel de juin.

M. Chekri affichait une assurance un peu forcée ; il plaisantait avec les autres propriétaires, tandis que sa femme se promenait dans l'enceinte du pesage, vêtue des mêmes couleurs que son jockey : robe verte à pois jaunes, chapeau jaune bouton-d'or à larges bords.

Les cotes[1] ne prêtaient pourtant guère à l'optimisme. Globule Blanc, archifavori un an plus tôt, ne venait plus qu'en quatrième position. Les parieurs lui préféraient Night Torpedo, le nouveau crack d'Auteuil, Scout II, le vainqueur du prix de l'Archiduchesse, et l'Anglais Royal Jelly, un cheval bai au poil cerise et à la crinière d'un noir de jais. Rares étaient les turfistes qui continuaient à soutenir leur idole vaille que vaille.

Lorsque les chevaux entrèrent sur le rond de présentation, un frisson parcourut l'assistance. On avait le sentiment de vivre une journée historique. Le Grand steeple-chase de Paris n'avait pas réuni autant de champions depuis longtemps. L'Anglais Royal Jelly avait fière allure, de même que l'alezan

---

1. La cote d'un cheval, c'est sa probabilité de gagner, selon les parieurs.

Scout II. De plus, Stéphane Morillon allait monter Night Torpedo ; il aurait ainsi l'occasion de prendre sa revanche sur Louis Levavasseur qui l'avait renvoyé comme un malpropre.

Il faut avouer que le contraste était frappant entre Night Torpedo et Globule Blanc. Le bai brun, plein de fougue, était d'une beauté étourdissante : une encolure racée, des membres parfaits, une musculature souple et déliée. Le malheureux « Mulet » supportait mal la comparaison avec son allure de chameau famélique et sa tête de rhinocéros. Par saint Georges, ce qu'il pouvait être laid !

L'hippodrome d'Auteuil était plein à craquer. Des milliers de regards suivirent les concurrents jusqu'à la ligne de départ. Les spectateurs anglais, venus nombreux pour encourager leur représentant, criaient déjà :

– Royal Jelly ! Royal Jelly !

Avec son calme coutumier, M. Louis alla s'installer au bord de la piste avec Hélène.

– Courage, fillette, lui dit-il. Globule est un crack, un supercrack. Tu vas voir.

Les pur-sang avaient fini de s'échauffer. Au moment de se ranger derrière les élastiques de départ, Robert Rians releva ses lunettes au-dessus de la visière de sa toque. C'était une déclaration de guerre à ses adversaires. Son geste signifiait : vous n'aurez pas l'occasion de m'envoyer de la boue dans les yeux, parce que vous serez derrière moi du premier au dernier mètre de la course.

Les autres jockeys échangèrent des regards entendus. Globule Blanc n'avait aucune chance de mener de bout en bout. N'avait-il pas perdu de cette façon le prix de l'Archiduchesse ?

Mais il n'était plus temps de réfléchir. La foule immense attendait, le cœur battant. Le ciel bleu, le gazon vert vif, les barrières blanches : le décor était planté. D'une seconde à l'autre allait commencer une course de légende – un de ces combats fabuleux dont on parlerait encore vingt ou trente ans plus tard.

*C'*est parti.

Les chevaux se ruent sur la première haie. Déjà, le ton est donné. Les favoris ont démarré sur les chapeaux de roues : pas de pitié pour les faibles ! Et « le Mulet » a annoncé la couleur : il ne laissera personne galoper devant lui.

– Vas-y, bonhomme, lui murmure Robert Rians. C'est toi qui décides.

Globule Blanc mesure parfaitement son effort. Malgré le rythme infernal, il surveille ses rivaux du coin de l'œil. Il les autorise à venir à sa hauteur. Mais, chaque fois que l'un d'entre eux tente de prendre de l'avance, il accélère un peu le train pour le décourager.

Les chevaux abordent la rivière. Ils sont quatre à s'envoler au même instant. Le grand pur-sang gris se reçoit à merveille et repart aussitôt. Le bai Royal Jelly et l'alezan Scout II le suivent à moins d'une demi-longueur. Et le bai brun Night Torpedo se place juste derrière lui. Stéphane Morillon ne peut retenir un sourire, car Globule Blanc est un lièvre idéal : il suffit de le laisser s'épuiser en tête, pour le coiffer sur le poteau...

De toute manière, c'est un de ces quatre-là qui va l'emporter, car le reste du peloton s'effiloche loin derrière.

Les quatre champions galopent groupés. Les jockeys s'épient. Ils cherchent à deviner de quelles réserves disposent leurs adversaires. Pour Robert Rians, le moment crucial approche à vive allure. Dans vingt secondes, Globule abordera le *rail ditch and fence*. Dans dix secondes, il se retrouvera en face de l'obstacle meurtrier.

Le cheval gris reconnaît le «juge de paix». Il se souvient de l'accident. Il ralentit. Il redresse la tête. Il se raidit. Va-t-il refuser ?

Robert Rians ne contrôle plus rien. Ses rênes sont aussi molles que des spaghettis trop cuits. Sa monture est sur le point de s'arrêter.

Soudain, Globule Blanc engage ses membres postérieurs avec une puissance extraordinaire. Il prend sa foulée d'appel et s'élève au-dessus de la haie monstrueuse. Une véritable catapulte !

Il se reçoit un mètre devant les autres et redémarre tellement vite qu'en quelques foulées il les relègue à deux longueurs. Robert Rians est stupéfait par l'intelligence de son cheval : pendant que les trois autres fournissent un effort éreintant pour combler leur retard, Globule en profite pour reprendre son souffle.

Scout II ne résiste pas au petit jeu de l'accordéon. Cette succession d'accélérations et de ralentissements lui coupe les pattes. Il lâche prise.

Les deux favoris, en revanche, tiennent bon. Night Torpedo et Royal Jelly rattrapent Globule Blanc juste avant le second passage de la rivière.

C'est un spectacle fantastique. Les trois

champions débouchent ensemble dans la dernière ligne droite. Night Torpedo est à la corde, Royal Jelly à l'extérieur. Placé au milieu, Globule Blanc a tout juste un nez d'avance sur les deux autres.

Il n'y a plus un seul spectateur assis dans les tribunes. Les gens sont écarlates à force de crier. La course est fabuleuse, et ils n'ont pas encore tout vu ! Car les trois cents derniers mètres vont entrer dans la légende d'Auteuil.

Stéphane Morillon attaque le premier sur Night Torpedo. Il sent Royal Jelly un peu mou. Et il sait que son cheval a trois ans de moins que Globule Blanc. Aussi décide-t-il de tenter le tout pour le tout.

Son démarrage est fulgurant. Mais les deux autres réagissent aussitôt. En quelques secondes, le bai brun est contré, doublé, irrémédiablement battu.

Royal Jelly lance alors son offensive. C'est un merveilleux cheval, admirablement monté.

Mais ce jour-là, Globule Blanc est invincible.

Il a dix ans. Il a galopé des milliers de kilomètres. Il a franchi des montagnes. N'importe quel pur-sang serait usé à sa place. Pas lui. Car il a décidé de leur donner une leçon.

Robert Rians aussi est au bout du rouleau. La course l'a tué. Ses anciennes blessures le font horriblement souffrir. C'est un miracle qu'il ne soit pas encore tombé. Mais la ligne d'arrivée est droit devant lui, la victoire est si proche...

Debout sur ses étriers, il accompagne les mouvements de Globule Blanc. Celui-ci n'était encore jamais allé aussi vite. Et il continue à accélérer ! Robert Rians n'a pas besoin de se retourner : il sait qu'aucun cheval au monde ne pourrait suivre à un rythme pareil. Ce n'est plus un pur-sang, c'est un bolide, un missile, une comète !

Dans les tribunes, la stupéfaction est générale. Les yeux s'écarquillent, les mâchoires se décrochent. Qu'ils soient milliardaires ou sans le sou, lycéens ou grands-pères, tous les spectateurs voudraient être à la place de Robert Rians. Ils donneraient dix ans de leur vie pour porter cette casaque verte à pois jaunes et galoper sur le meilleur cheval de la terre. Royal Jelly est relégué à une encolure, à une demi-longueur, à une longueur, à deux longueurs, à trois longueurs. L'hippodrome explose au moment où Globule Blanc franchit la ligne d'arrivée en solitaire.

Comme un super-crack. Comme un demi-dieu.

*H*élène se rua sur la piste pour récupérer son cheval, car elle avait vu Robert Rians couché sur l'encolure : il n'avait même plus la force de tenir en selle. Quand il la reconnut, il parvint malgré tout à lui adresser un clin d'œil et à bredouiller :

– Quand même, quand même... Ah, quand même... Quel animal !

Pendant des minutes interminables, les applaudissements crépitèrent. La foule scandait le nom du vainqueur, ce nom un peu ridicule qu'il avait rendu glorieux. L'émotion était si violente que beaucoup de gens pleuraient dans les tribunes.

Louis Levavasseur était l'un des rares à garder la tête froide. Les journalistes l'assaillirent au moment où il rejoignait Hélène. Il déclara devant les micros, avec une mine de déterré :

– Quel dommage qu'un maladroit l'ait fait tomber l'année dernière ! Rien que d'y penser, cela me désespère.

Les photographes en profitèrent pour prendre un cliché totalement loufoque : un grand cheval gris aux oreilles rabattues vers l'arrière, portant un jockey aux traits ravagés par la fatigue et tenu en main par un entraîneur accablé de chagrin. Même la jeune fille blonde qui entourait de ses deux bras l'encolure du pur-sang réussissait à avoir l'air abattu. Mais lorsqu'on regardait de plus près son visage, on voyait bien qu'elle devait se mordre les lèvres pour ne pas sourire jusqu'aux oreilles.

*U*n véritable convoi arriva à Chantilly en fin d'après-midi. À tout seigneur, tout honneur : le camion transportant le cheval roulait en tête. M. Louis le suivait, avec Hélène à côté de lui et Robert Rians sur la banquette arrière. La Rolls-Royce de M. et Mme Chekri fermait la marche.

Il y avait foule dans la cour des écuries. Les lads, les voisins et les amis attendaient le retour du crack. Ceux qui n'avaient pu se rendre à Auteuil avaient regardé sa victoire à la télévision. Hélène sortit Globule Blanc du camion sous les applaudissements. Il se mit à hennir en guise de réponse. On aurait cru qu'il éclatait de rire. Il avait montré à tous ces petits jeunes qui était le patron ! Sa carrière s'était achevée en apothéose. Désormais, il allait vivre des vacances perpétuelles et rencontrer de jolies juments. Car ses poulains vaudraient leur pesant d'or...

M. Chekri prit alors la parole :

– À présent, Mesdames et Messieurs, champagne !

On apporta des seaux à glace et des plateaux avec des coupes. Ce soir-là, le vin pétillant coula à flot autour du box du triomphateur. On porta des toasts à sa santé, ainsi qu'à celle de son jockey et de son entraîneur, de plus en plus lugubre... Tous les chevaux avaient le nez à la fenêtre. Ils devinaient que leur compagnon d'entraînement avait accompli un exploit hors du commun, et ils s'en réjouissaient bruyamment.

Mais une dernière surprise était encore réservée à Hélène. En allant chercher des carottes pour Globule Blanc, elle découvrit un spectacle qui la fit éclater de rire. Dans toute l'écurie, un seul être vivant n'avait rien compris à ce qui se passait : le mouton dormait à poings fermés.

# TABLE DES MATIÈRES

Achevé d'imprimer en avril 1997 par OBERTHUR Graphique
35000 Rennes - N° 810
Dépôt légal : mai 1997 - N° d'éditeur 2876
Imprimé en France